KU-582-840

Czaruś, mały uciekinier

Holly Webb

Ilustracje: Sophy Williams

Przekład: Jacek Drewnowski

WYDAWNICTWO 🦉 ZIELONA SOWA

Dla Phoebe

Tytuł oryginału: *Buttons the Runaway Puppy*

Przekład: Jacek Drewnowski

Redaktor prowadząca: Sylwia Burdek

Korekta: Marzena Kwietniewska-Talarczyk

Typografia: Stefan Łaskawiec

Skład i łamanie: GF Project s.c.

Copyright © for the Polish edition
by Wydawnictwo Zielona Sowa, Warszawa 2012
Wszystkie prawa zastrzeżone.

Text copyright © Holly Webb, 2009
Illustrations copyright © Sophy Williams, 2009

ISBN 978-83-265-0475-4

Wydawnictwo Zielona Sowa Sp. z o.o.
00-807 Warszawa, Al. Jerozolimskie 96
tel. 22 576 25 50, fax 22 576 25 51
www.zielonasowa.pl
wydawnictwo@zielonasowa.pl

Książkę wydrukowano na papierze Ecco Book Lux 90 g/m² wol. 1.8
dostarczonym przez firmę antalis® | map.

Czaruś,
mały
uciekinier

Rozdział pierwszy

– Zaczekajcie na mnie! – zawołała Zosia za swoimi braćmi bliźniakami. Pedałowała najszybciej, jak umiała, ale byli od niej znacznie więksi, a na urodziny w zeszłym miesiącu dostali nowe, duże rowery górskie. Nie miała szans ich dogonić, o ile trochę nie zwolnią.

– Tomek! Michał! Zaczekajcie na mnie! Proszę!

Tomek i Michał zatoczyli koło, popędzili z powrotem w jej stronę, po czym zahamowali, wzbijając chmurę pyłu.

– Szybciej, Zosiu! Na pewno umiesz pedałować chociaż trochę szybciej – zwrócił się do niej ze śmiechem Michał.

– Oj, to nie w porządku, ona ma krótkie nóżki – Tomek uśmiechnął się do niej, a ona wykrzywiła się z niezadowoleniem.

– Możemy chwilę odpocząć? – poprosiła. – Chcę popatrzeć na psy, a to najlepsze miejsce na ścieżce rowerowej. Zobaczę, czy jakieś znajome pieski wyszły dziś na spacer.

– Nie mam nic przeciwko temu
– zgodził się Tomek.

Michał przewrócił oczami.

– Ale tylko chwilę! Uwielbiasz psy
i potrafisz je obserwować godzinami,
Zosiu! – powiedział do niej z uśmiechem.

Przetoczyli rowery poza alejkę,
po czym usiedli na ławce. Cała trójka
patrzyła na łąkę, pełną psów pod
opieką właścicieli. Było to bez wątpienia najlepsze miejsce na obserwację. Z niewielkiego pagórka rozciągał
się widok na całą łąkę.

– Zobacz, Zosiu, jest ten rudy seter, którego tak lubisz – Michał
wskazał psa, o ciemnej, rudawej sierści, połyskującej w promieniach słońca, który bawił się na jednej z alejek.

Dziewczynka zachichotała, patrząc, jak biega w kółko i aportuje patyki. Jego pan próbował nakłonić go do aportowania piłki, ale wielki pies w ogóle na to nie zważał.

Tomek westchnął rozmarzony.

– Gdybym miał psa, wytresowałbym go o wiele lepiej. Biedaczek nie wie, co ma robić.

– Myślę, że nie tak łatwo wytresować psa – stwierdziła Zosia.

– Pewnie, że nie – przyznał Tomek. – Dlatego jest tak wiele źle wychowanych psów. Ludzie nie zawracają sobie głowy właściwą tresurą i pozwalają im robić, co chcą, bo to łatwiejsze niż praca nad właściwym zachowaniem.

– Dobrze, wybieraj! Gdybyś mogła

mieć każdego psa, jakiego zechcesz, jakiego byś wybrała? – zapytał Michał. – Mama i tata mówią, że pewnego dnia pozwolą nam mieć psa. Tata nie powiedział od razu „nie", kiedy ostatnim razem o to spytałem.

Tomek gwizdnął przez zęby.

– Na pewno nie małego i hałaśliwego. Chciałbym psa, którego można zabierać na długie spacery. Może dalmatyńczyka.

– Mmm..., dla mnie mógłby być dalmatyńczyk. Albo golden retriever – myślał głośno Michał. – Czy nie cudownie byłoby wziąć teraz psa, tuż przed wakacjami? Mielibyśmy dużo wolnego czasu na bardzo długie spacery.

Tomek skinął głową.

– Nie licz na zbyt wiele. Jakiego psa ty byś chciała, Zosiu?

Dziewczynka patrzyła z powrotem na alejkę, którą przyjechali.

– Labradora. Ale czekoladowego, takiego jak Czaruś. Zdaje się, że to właśnie on. Ojej...

– Co znowu zrobił? – spytał Tomek.

Zosia zakryła dłonią usta, by stłu-

mić chichot, gdy brązowe szczenię labradora zatańczyło wokół swojego właściciela, oplątując go smyczą.

– Ojć – mruknął Tomek, a Michał zeskoczył z ławki, by zobaczyć, co się dzieje.

– Auuu, to na pewno bolało. Myślicie, że powinniśmy podejść i pomóc?

Czaruś stał na ścieżce i zdezorien-

towany patrzył w dół na swojego pana. Zdawało się, że mówi: „Co ty robisz na ziemi?". Mężczyzna z ponurą miną odplątał smycz ze swoich kostek i zaczął wydobywać się z krzaka jeżyn.

Zosia zerknęła na braci.

– Pewnie powinniśmy, ale właściciel Czarka to taki zrzęda i ponurak, że może na nas nakrzyczeć.

– Nazywa się pan Nowak – powiedział jej Tomek. – Słyszałem, jak rozmawiał z sąsiadem, kiedy przedwczoraj przechodziliśmy obok jego domu.

Michał skinął głową.

– Myślę, że Zosia ma rację, on pewnie liczy, że nikt go nie widział. Lepiej patrzmy w inną stronę, kiedy będzie obok nas przechodził.

Trójka dzieci spoglądała niewinnie w kierunku strumyka za łąką, udając, że nie widziały, jak Czaruś przewraca pana Nowaka.

– Dzień dobry! – odezwał się uprzejmie Michał, gdy starszy mężczyzna przeszedł obok, próbując prowadzić Czarusia przy nodze. Pan Nowak mieszkał przy następnej ulicy za Ziębami, a ich ogródki sąsiadowały z sobą, więc często go widywali. Mama zawsze mówi mu „dzień dobry", kiedy się mijają.

– Mhm – mruknął pan Nowak i poszedł dalej.

– Widzicie? Co za zrzęda! – szepnęła Zosia, gdy się oddalił.

– Tak, ale ja też bym zrzędził, gdybym właśnie wpadł w krzak jeżyn

– zauważył Tomek.

W każdym razie Czaruś docenił ich pozdrowienie. Odwrócił się i zaszczekał przyjaźnie, gdy pan Nowak gnał go naprzód. Lubił te dzieci. Zawsze uśmiechały się na jego widok, a raz dziewczynka grzecznie spytała, czy może go pogłaskać. Pan Nowak pozwolił, a ona powiedziała, że Czaruś jest śliczny, i jeszcze podrapała go za uchem.

– Chodź, Czarusiu – mruknął pan Nowak, a szczeniak westchnął. Znowu był na niego zły. Pies nie chciał go przewrócić. Na łące było mnóstwo ciekawych zapachów i nie mógł nic poradzić na to, że pachniało po obu stronach alejki. Musiał sprawdzić wszystkie zapachy, a smycz sama zaplątała się o nogi pana. To tylko dowodziło, że smycz to zły pomysł. Zdecydowanie wolał biegać bez niej. Zwłaszcza gdy w pobliżu były wiewiórki.

Doszli teraz na skraj parku i musiała tam być wiewiórka. Czaruś podniósł wzrok i zaszczekał z nadzieją.

– Nie, nie spuszczę cię ze smyczy, nieposłuszny psiaku – powiedział zdecydowanym głosem pan Nowak, ale jednocześnie poklepał go czule po głowie i Czaruś wiedział, że już się na niego nie gniewa. – Nie, bo pomkniesz daleko, zanim cię dogonię. Przykro mi, psinko, musimy wracać do domu. Moje nogi już nie są takie, jak kiedyś, zwłaszcza po tym, jak wciągnięto mnie w jeżyny. Chodź, idziemy do domu.

Czaruś zaskamlał ze smutkiem. Rozumiał niektóre słowa, między innymi „dom". Do domu, tak szybko? Miał poczucie, że ten spacer w ogóle nie był długi. Pragnął wielu spacerów, najlepiej całodniowych, a do tego tylko paru przerw na krótkie drzemki i obfite posiłki. Tak by było najlepiej.

– Zobacz, mamo, Czaruś jest w swoim ogródku – Zosia szturchnęła mamę w ramię, gdy przechodziły obok domu pana Nowaka. Wakacje już się zaczęły, była piękna pogoda, więc szły się ochłodzić na basen. – Ciągle drapie w ogrodzenie, jakby chciał wyjść.

Robił tak wczoraj, kiedy szłam się pożegnać z Renatą. Słyszałam też, jak szczekał, kiedy byłam w ogródku.

Mama zatrzymała się i z namysłem popatrzyła na Czarka.

– Widziałaś ostatnio pana Nowaka? – spytała córki. – Bo ja nie, a zwykle spotykam go w sklepie na porannych zakupach.

Zosia pokręciła głową.

– Nie... od tamtego dnia w parku, parę tygodni temu, kiedy Czaruś go przewrócił... Na pewno nie widziałam go od zakończenia roku szkolnego, a to już cały tydzień.

Westchnęła. Minął tylko tydzień wakacji. Powinna z radością czekać na kolejne tygodnie bez lekcji, ale wczoraj, jej najlepsza przyjaciółka,

Renata, wyjechała na Mazury, by całe wakacje spędzić u rodziny. Zosia nie wyobrażała sobie, co będzie robiła przez całe lato, skoro nie będzie mogła bawić się z koleżanką. Miała już dosyć towarzystwa Michała i Tomka. Nie dość że, jako starsi bracia uważali, że mogą jej rozkazywać, to jeszcze nie mogła bawić się z nimi w swoje ulubione zabawy. Nie chcieli też, żeby młodsza siostra wszędzie z nimi chodziła. Obiecały sobie z Renatą, że pozostaną w kontakcie telefonicznym i będą sobie wysyłać mnóstwo zabawnych pocztówek i e-maili. Ale to nie to samo, co przyjaciółka mieszkająca tuż za rogiem.

Czaruś podniósł wzrok na Zosię i zaszczekał z nadzieją. „Spacer? Pro-

szę?" – skamlał. Poznawał dziewczynkę, która często do niego mówiła, gdy
przechodziła obok. Szczeniak słyszał
ją też czasem w ogródku. Zosia miała
miły głos i zawsze wydawała się bardzo przyjazna.

– Biedny Czaruś,
wydaje się bardzo
smutny – stwierdziła

Zosia, żałując, że nie może go pogłaskać. Wiedziała, że Czaruś jest grzeczny, ale obiecała mamie, że nigdy nie będzie głaskała psów bez pytania właściciela o pozwolenie.

– Jeśli się nad tym zastanowię, właściwie widziałam pana Nowaka w zeszłym tygodniu w supermarkecie. Chodził o lasce – przypomniała sobie mama. – Kto wie, może nie jest w stanie wyprowadzać Czarka na spacer i dlatego piesek tak drapie w płot. Chce się wydostać.

– Przykro mi, Czarusiu, idziemy popływać, inaczej chętnie wzięłybyśmy cię na spacer. O, zobacz, na pewno rozumie, co mówimy, oklapły mu uszy i nie merda już ogonem – zauważyła Zosia, machając na pożegnanie.

Czarek patrzył za nimi dużymi, smutnymi, brązowymi oczami. Od dawna nie wyszedł na spacer, a tak to lubił! Pan Nowak był dla niego bardzo dobry, bo wypuszczał go do ogrodu, kiedy tylko pies chciał, ale najwyraźniej nie chciał go teraz wyprowadzać. Ogródek był dość duży – otaczał cały dom, od frontu do tyłu – ale to nie było to samo, co długi spacer. Czaruś zaskamlał smutno i znowu drapał w ogrodzenie. Pomy-

ślał, że może sam zdoła pójść na spacer, jeśli tylko uda mu się przejść górą przez to ogrodzenie. Albo może dołem.

– Czaruś! Czaruś! – usłyszał wołanie swojego pana i natychmiast nadstawił uszu. Może poczuł się lepiej i chciał wyjść na spacer. Czarek pognał do drzwi wejściowych, które pan Nowak dla niego otworzył.

– Tu jesteś! Długo cię nie było – nachylił się, by go pogłaskać.

Czaruś podniósł na niego pełne nadziei spojrzenie, a potem popatrzył na swoją smycz, wiszącą na haczyku nad kaloszami pana Nowaka. Szczeknął z nadzieją i zamerdał ogonem tak szybko, że wyglądał jak śmigiełko.

– Oj, oj, Czarusiu, bardzo bym chciał z tobą wyjść. Bardzo bym chciał, biedactwo. Już niedługo, obiecuję!

Szczeniak opuścił ogon i podreptał smętnym krokiem do dużego pokoju, położył się na poduszce przy krześle właściciela. Pan Nowak usiadł obok i czule pogłaskał go po głowie. Czaruś polizał jego dłoń. Uwielbiał pana Nowaka, nawet jeśli nie zawsze mógł go zabierać na spacery.

Rozdział drugi

– Jeśli pojedziecie ścieżką nad strumykiem, musicie bardzo uważać – ostrzegła mama. – Zwłaszcza ty, Zosiu. Nie zbliżaj się do brzegu, obiecaj mi to?

– Nie jestem dzieckiem, mamo! Jestem rozsądna! – oburzyła się dziewczynka. – Dobrze, obiecuję, że będę uważać.

– Dobrze. Tomek, Michał, miejcie ją na oku. Nie zostawiajcie jej samej w tyle – prosiła mama.

Starsi bracia pokiwali głowami, niecierpliwi, by już ruszyć na przejażdżkę, nawet jeśli oznaczało to zabranie także Zosi.

Było słoneczne sobotnie popołudnie i mama z tatą malowali kuchnię, więc z pewnością warto było oddalić się od domu. Ścieżka nad strumykiem była dla Ziębów ulubionym miejscem spacerów i przejażdżek. Mieli szczęście, że znajdowała się niedaleko od ich domu.

Mimo obietnicy złożonej mamie, Michał i Tomek nie mogli się powstrzymać i pognali naprzód. Co jakiś czas któryś zawracał, by sprawdzić, czy u Zosi wszystko w porządku, a jej to nie przeszkadzało – lubiła jeździć na rowerze sama. Dzięki temu mogła się zatrzymywać i robić wiele przyjemnych rzeczy: przemówić do rudego kota, który siedział na płocie – dzisiaj pozwolił się pogłaskać – podziwiać motyle na krzaku bzu. Mogła robić to wszystko bez ciągłego popędzania ze strony chłopców.

Dziewczynka pedałowała naprzód, trzymając się z dala od brzegu, tak jak nakazała mama. Strumyk był piękny, zwłaszcza gdy słońce skrzyło się na nim jak dzisiaj, lecz pod tym lśnieniem woda była głęboka i ciemna. Okrążyła zakole, spodziewając się, że zobaczy wracającego do niej Tomka lub Michała, zamiast tego ujrzała jednak znajomego psa – Czarusia!

Śliczny, mały labrador wąchał coś nad brzegiem wody. Zosia podjechała bliżej, uśmiechając się na widok dużych czekoladowych łap i oklapniętych uszu.

Zosia rozejrzała się w poszukiwaniu pana Nowaka, ale nigdzie go nie widziała i miała straszne przeczucie, że Czaruś uciekł. Nie był wystarczająco duży ani mądry, żeby spuścić go ze smyczy i... wcale go nie spuszczono, smycz ciągnęła się w błocie. Szczeniak musiał wyrwać ją z ręki pana Nowaka.

Czaruś nie zauważył Zosi. Patrzył na kij, który płynął strumykiem, i zastanawiał się, czy go dosięgnie, jeśli

się trochę wychyli. Wyglądał bardzo zachęcająco – długi, bardzo zabłocony – i był naprawdę blisko. Wychylił się nad wodę. Gdyby tylko zdołał chwycić koniec kija zębami... Ale ciągle był trochę za daleko. Spróbował jeszcze raz, wysuwając łebek jeszcze dalej.

– Czaruś! Nie! – zawołała Zosia. – Wpadniesz do wody!

Czaruś, zaskoczony krzykiem dziewczynki, szybko się cofnął. Ale brzeg strumyka był błotnisty i śliski, więc łapki mu się rozjechały. W panice próbował wdrapać się z powrotem, ale ześlizgiwał się dalej i nie mógł się zatrzymać.

Zosia zeskoczyła z roweru i rzuciła się, by złapać smycz Czarusia. Złapała ją w chwili, gdy przednie łapki szczeniaka zjechały już do wody. Mocno pociągnęła za smycz, odchylając się do tyłu – Czaruś może i był mały, ale przy tym ciężki. Przez chwilę Zosia zastanawiała się, czy może ją wciągnąć do wody, ale w końcu zdołała go wyciągnąć na brzeg.

Mocno przytuliła drżące szczenię.

– Już dobrze, Czarusiu. Oj, oj, masz całe łapki mokre. W porządku, nie martw się – mówiła Zosia, próbując go uspokoić. Czaruś wsunął nosek w koszulkę dziewczynki, wdychając jej kojący zapach. Zosia go uratowała!

– Czaruś! Czaruś! – pan Nowak spieszył się, idąc o lasce najszybciej jak mógł. – Co się stało? Wpadł do wody? – spytał z niepokojem. – Widziałem, że ciągnęłaś smycz, nic ci nie jest? A jak on?

Nachylił się powoli, by pogłaskać Czarusia, a on przywarł mu do nóg, wydając ciche, przestraszone, skamlące dźwięki.

– Oj, Czarku, nieposłuszny psiaku, coś ty narobił? – podniósł wzrok i uśmiechnął się przepraszająco do Zosi. – Wyrwał mi smycz z ręki i uciekł. Pierwszy raz od dawna wyszliśmy na spacer. Czaruś za bardzo się podekscytował.

Dziewczynka odpowiedziała uśmiechem, chociaż serce ciągle mocno jej waliło. To była przerażająca chwila.

– Nie wbiegł do strumyka. Zaczynał się ślizgać, ale złapałam smycz i zamoczył sobie tylko łapki.

– Zosiu! Nic ci nie jest?! – Tomek i Michał podjechali bliżej z zaniepokojonymi minami. Młodsza siostra, którą mieli się opiekować, siedziała nad brzegiem strumyka z mokrym psem, a jej rower leżał rzucony na trawę.

– Bawiłaś się nad wodą?! Mama zabroniła ci podchodzić do brzegu! – krzyknął Tomek.

– Oczywiście, że nie! – powiedziała z oburzeniem Zosia.

Pan Nowak popatrzył na chłopców.

– Wasza siostra nie pozwoliła Czarusiowi wpaść do wody. Jest bohaterką. Uuuch – wyprostował się powoli. – Ten spacer to nie był chyba zbyt dobry pomysł, Czarku. Najlepiej odłożyć to jeszcze o parę dni.

– Mogę odprowadzić Czarusia do domu? – spytała z nadzieją Zosia.

Mężczyzna uśmiechnął się do niej.

– Bardzo miło, że to proponujesz, ale chyba jeszcze nie zamierzałaś wracać? Nie chcę, żebyś zmieniała plany.

– Nic nie szkodzi. Prawda? – zwróciła się do braci. – Mama się nie pogniewa, jeśli wrócimy, prawda?

Chłopcy wymienili porozumiewawcze spojrzenia.

– My też pójdziemy – stwierdził Tomek. – Możemy poprowadzić twój rower, kiedy będziesz szła z Czarusiem.

– Oj! Zapomniałam o rowerze – przyznała Zosia. – Tak się cieszyłam, że mogę poprowadzić tego ślicznego szczeniaka.

– Uroczy jest, prawda? – zgodził się pan Nowak, gdy powoli szli do domu. – Ale na razie spory z nim kłopot. Ma mnóstwo energii!

Czaruś podskakiwał to tu, to tam, z zapałem wciągając zapachy innych psów i ludzi. Zosia śmiała się, idąc za szczeniakiem, ale rozumiała, że taki rozbrykany psiak to dla pana Nowaka nie lada kłopot.

– Powinienem zaprowadzić go na jakieś szkolenie, tyle że ostatnio nie mogliśmy zbyt często wychodzić. Ale już niedługo... – dodał, patrząc na biegnącego Czarusia.

– Skąd go pan wziął? – spytała dziewczynka, żałując, że sama nie ma takiego ślicznego, czekoladowego psa.

– Od hodowcy, który mieszka po drugiej stronie miasta. Od niego miałem też dwa poprzednie psy, ale to były białe labradory. Czaruś to mój pierwszy pies o czekoladowej sierści.

– Czaruś to bardzo ładne imię dla szczeniaka – powiedziała ze śmiechem Zosia.

– A, pomysł nie był mój, tylko mojej wnuczki Feli. To ona chciała, abym go tak nazwał.

– Mieszka w pobliżu? – spytała dziewczynka. – Nie znam ze szkoły nikogo o imieniu Fela.

– Nie – pan Nowak ze smutkiem pokręcił głową – mój syn na początku roku zmienił pracę i się przeprowadził za granicę. Teraz mieszkają w Szkocji. Rzadko jeżdżę do nich w odwiedziny i bardzo tęsknię za wnuczką.

Zosia pokiwała głową.

– To smutne. Mój dziadek mieszka we Francji i też rzadko go widujemy. Często do niego dzwonimy, ale to nie to samo, co się spotkać, prawda?

Mężczyzna westchnął.

– Zupełnie nie to samo. Fela jeszcze

nawet nie widziała Czarusia, a mam go już od sześciu tygodni. Wnuczce wysłałem tylko zdjęcia.

Czaruś biegał radośnie za wszystkimi smakowitymi zapachami, a gdy to Zosia trzymała smycz, mógł poruszać się tak szybko, jak tylko chciał. Czuł, że jeszcze niedawno tu gdzieś była mysz. Poszła w tę stronę, tutaj się zatrzymała, a potem zawróciła... oj! Czaruś znalazł się znów nad wodą. Cofnął się z piskiem. Uwielbiał patrzeć na wodę, ale nie chciał zmoczyć sobie sierści.

Podniósł wdzięczny wzrok na Zosię, która mocno ściskała smycz. Bardzo się cieszył, że dziewczynka wyciągnęła go wcześniej z wody. Wiedział, że nie powinien był uciekać przed panem Nowakiem, ale szli tak wolno... Nie zamierzał znowu podchodzić za blisko strumyka, było to zbyt niebezpieczne. Już nigdy nie ucieknie...

Rozdział trzeci

Zosia i chłopcy pożegnali pana Nowaka przy furtce. Staruszek był bardzo zadowolony i pochwalił Zosię za odwagę i błyskawiczną akcję ratunkową, mówiąc, że przypomina mu jego wnuczkę.

– To nic takiego – odparła dziewczynka z rumieńcem na policzkach, odbierając swój rower od Tomka

– cieszę się, że tam byłam i mogłam go złapać.

Patrzyła, jak pan Nowak wchodzi z Czarusiem do domu, a potem, cała w emocjach, pojechała za braćmi.

Na szczęście tata i mama zrobili sobie przerwę w malowaniu, więc mogli wysłuchać Zosi, gdy wpadła do domu, gotowa opowiadać bez końca o swojej przygodzie.

– Dobrze się spisałaś, Zosiu – tata się uśmiechnął, ale potem jego twarz spochmurniała. – Ale mam nadzieję, że uważałaś. Taki duży pies, jak labrador, mógł cię łatwo wciągnąć za sobą do strumyka.

– O nie, tato, Czaruś jest malutki, to tylko szczeniak – wyjaśniła Zosia. Potem zauważyła, że Michał i Tomek robią do niej miny zza pleców ojca, więc dodała: – A Tomek i Michał byli tuż przede mną. Wyciągnęliby mnie, gdybym wpadła do wody.

Mama zadrżała.

– No, całe szczęście, że do tego nie doszło.

– Myślę, że Zosia zasłużyła na loda – wtrącił tata. – Sam mam ochotę na lody po malowaniu. Chcesz się przebiec do sklepu?

– Ooo tak! – dziewczynka uściskała go, uważając jednak na plamy z farby.

Gdy wszyscy siedzieli w ogródku i jedli lody, Zosia odezwała się zaniepokojonym głosem.

– Mamo, myślisz, że pan Nowak chciałby, żebym wyprowadzała Czarusia, dopóki boli go noga? Mówił, że musi się oszczędzać jeszcze przez parę dni, ale myślę, że taki pies, jak Czaruś, codziennie potrzebuje długiego spaceru.

Rodzice wymienili spojrzenia i mama westchnęła.

– Masz rację, Zosiu. Na pewno potrzebuje wielu spacerów, bo jest młody i pełen energii. Panu Nowakowi pewnie przyda się pomoc. Ale to delikatna sprawa. Nie chcemy, żeby pomyślał, że się wtrącamy, albo że sobie nie radzi. Gdyby sam poprosił, to by było co innego...

– Na pewno nie poprosi – odezwał się Tomek, chociaż miał usta pełne lodów. – On nie jest taki.

– Jeśli go spotkam, spróbuję się tego dowiedzieć – obiecała mama.

– W porządku? – Zosia z ociąganiem pokiwała głową. Biedny Czaruś, wyglądało na to, że przez jakiś czas nie będzie się mógł ruszyć z ogródka.

Czaruś z pewnym smutkiem wszedł do domu za panem Nowakiem. Bardzo miło chodziło się z Zosią. Teraz starał się nie szarpać za smycz. Widział, że panu Nowakowi trudno chodzić. Czasami zdarzało mu się o tym zapomnieć, nic poza tym. Ciężko było nie przyspieszyć kroku, gdy poczuł jakiś smakowity zapach albo zobaczył coś, za czym po prostu musiał pobiec. Przy Zosi czuł, że może być sobą, rozbrykanym szczeniakiem, miał więc

nadzieję, że niebawem znowu spotka się z dziewczynką. Może pan Nowak zabierze go jutro na spacer?

Ale nie zabrał. W niedzielę rano Czaruś z nadzieją przyniósł mu smycz, tak na wszelki wypadek, on jednak siedział w fotelu i odpoczywał po wysiłku.

– Przykro mi, Czarku. Nie dzisiaj – westchnął, po czym chwycił jego smycz i ciężko dźwignął się na nogi.

– Idź pobiegać po ogródku, grzeczny piesek. A ja za chwilę dam ci jeść.

Czaruś czuł, że mężczyzna za nim patrzy, gdy biegł po ogródku. Wydawał się niespokojny i bardzo przygnębiony. Ciągle trzymał smycz i smutnie za nim spoglądał.

Czaruś rozejrzał się po ogródku i cicho zaskamlał. Zdecydowanie wolałby spacer, ale to było lepsze niż nic. Obwąchiwał kwietnik przy ogrodzeniu, gdy natrafił na małą dziurę pod krzakiem. Była akurat tak duża, by wetknąć w nią nos, ale szczeniak zaraz ubrudził się ziemią i szybko cofnął, prychając i potrząsając łebkiem.

Gdy już przestał drapać się łapką po pyszczku, usiadł i popatrzył na dziurę, przechylając głowę na boki.

Dziura była mała, ale szczeniak miał pewność, że może być większa, a gdyby pod płotem był dół, mógłby sam chodzić na spacery. I to bez smyczy! Przykucnął i zaczął drapać ziemię łapką...

Kopanie dołu trwało dość długo, ale przez krzak nikt nie zauważył, co robi, gdyż dokładnie go zasłaniał.

Następnego dnia, po południu, Czaruś przecisnął się pod płotem i stanął na ulicy, z zadowoleniem rozglądając się dookoła. Mógł badać świat! Mógł iść, dokąd chciał! Z zapałem wciągnął powietrze w nozdrza. Dokąd powinien iść najpierw? Wokół unosiły się cudowne zapachy i szczeniak poczłapał ulicą, z ciekawością rozglądając się dokoła.

Dwa domy dalej czarny kot drzemał na murku, w promieniach słońca, a jego ogon merdał zachęcająco. Czaruś podbiegł bliżej i zaszczekał. Bardzo długo był zamknięty w ogródku i chciał pobiegać. Jeszcze lepiej by było, gdyby mógł coś gonić! Nie wiedział, że nie wolno gonić kotów – w tym zwierzęciu po prostu było coś takiego, że chciało się zaszczekać...

Kot przebudził się gwałtownie i otworzył pyszczek. Jego ogon nastroszył się, sierść na grzbiecie także się zjeżyła.

Szczeniak stał pod murkiem i szczekał zacięcie, a kot syczał i prychał.

– Uciekaj! Niedobry pies! – jakaś kobieta biegła alejką przez ogródek, ze złością wymachując łopatką.

Czaruś nie wiedział, co zrobił złego, ale znał słowa „niedobry pies". Oddalił się z podkulonym ogonem, w samą porę, by zobaczyć przy bramie pana Nowaka, rozglądającego się za nim z niepokojem.

– To pański pies? – spytała właścicielka kota. – Gnębił mojego biednego Feliksa. Powinien go pan porządnie zamykać!

– Przepraszam – pan Nowak wyszedł, kuśtykając, i złapał Czarusia za obrożę – nie wiem, jak się wydostał. Zrobił kotu krzywdę?

– No nie – przyznała kobieta – ale Feliks jest przerażony! – podreptała z powrotem do domu, niosąc kota i mrucząc coś pod nosem o źle wychowanych psach.

– Oj, Czarusiu – westchnął pan Nowak.

Szeniak podniósł na niego przepraszający wzrok, z nadzieją merdając ogonem. Nie był taki niegrzeczny, prawda?

Pan Nowak nie wiedział o dziurze, którą Czaruś wykopał pod płotem. Pomyślał, że musiał go wypuścić listonosz albo chłopiec roznoszący lokalną gazetę. Powiesił na furtce kartkę z prośbą, by starannie ją zamykać i przez resztę dnia nie wypuszczał

Czarusia z domu. Następnego dnia Zosia wyszła, by wysłać kartkę do Renaty. Skrzynka pocztowa znajdowała się przy następnej ulicy – tam, gdzie mieszkał pan Nowak z Czarusiem. Dziewczynka miała nadzieję, że po drodze zobaczy szczeniaka. Była pewna, że z ogródka słyszała jego szczekanie. Może pan Nowak też będzie w ogrodzie – mama nie miała okazji, by spytać o wyprowadzanie Czarka i Zosię kusiło, by zrobić to osobiście.

W drodze powrotnej Zosia skręcała właśnie za róg, w kierunku domu pana Nowaka, gdy usłyszała jakieś szuranie, a potem szczekanie i czyjeś krzyki.

Pobiegła w tamtą stronę. Czaruś był sam na ulicy! Brązowy szczeniak oparł przednie łapki o murek i szczekał na czarnego kota, który siedział na górze, prychał i próbował uderzyć go łapką w nos.

– Oj, Czarusiu, nie! – wykrzyknęła Zosia, przypadając do psiaka. – Nie wolno ganiać kotów!

Czarny kot wskoczył z murku na drzewo. Czaruś zaszczekał ostatni raz, a potem z poczuciem winy popatrzył na Zosię. Już wczoraj zbesztano go za to samo, ale zapomniał, że nie można gonić kotów. Były po prostu zbyt kuszące!

– Znasz tego psa? Możesz go złapać za obrożę, proszę? – jakaś kobieta biegła przez ogródek. – Muszę go odnieść właścicielowi. Już trzeci raz goni mojego kota. Był tu też dziś rano.

Zosia chwyciła obrożę Czarusia i poklepała go delikatnie, uspokajająco. Szczeniak próbował się wyrwać, więc Zosia go podniosła, a on wdzięcznie rozluźnił się w ramionach dziewczynki.

– Uważaj! – uprzedziła właścicielka kota. – Może ugryźć! To złośliwy, niewychowany pies.

Dziewczynka ze zdziwieniem spojrzała na kobietę. Czaruś? Zosia była pewna, że szczeniak nie jest złośliwy, co najwyżej trochę nieposłuszny.

Kobieta wyszła z ogródka, patrząc nieufnie na psa, a potem otworzyła furtkę do pana Nowaka.

– Możesz go odprowadzić? Przy tobie najwyraźniej stara się być grzeczniejszy. Muszę porozmawiać z panem Nowakiem, bo to oburzające, co robi jego pies.

Zosia poszła za nią, niemal żałując, że wyszła wysłać pocztówkę. Cieszyła się, że zdołała złapać Czarusia – szczenięciu mogła stać się krzywda, gdyby wybiegł na drogę – ale nie chciała znaleźć się w samym środku kłótni pana Nowaka z sąsiadką.

Pan Nowak otworzył drzwi i wydawał się przerażony ich widokiem.

– Pani Lucyno! Zosiu! Oj, Czarusiu, znowu...

– Znowu... – powtórzyła ponuro pani Lucyna – trzeci raz. Rano mi pan obiecał, że już go nie wypuści!

– Bardzo mi przykro, proszę pani. Już się umówiłem, że ktoś przyjdzie i zatka tę dziurę pod płotem. A odkąd ją odkryłem, trzymałem Czarka w zamknięciu. Musiał się wydostać przez okno – ruchem ręki wskazał otwarte okno i Zosia zauważyła, że kwiatki poniżej są dość mocno pogniecione.

– Jeśli to się jeszcze powtórzy, będę musiała to zgłosić dzielnicowemu – powiedziała surowo kobieta. A potem westchnęła. – Przepraszam, nie chcę być nieuprzejma, ale nie panuje pan nad nim jak należy. To mały potwór!

Pan Nowak zmarszczył czoło.

– Mogę tylko przeprosić i obiecać, że to się więcej nie zdarzy – westchnął i oparł się ze znużeniem o framugę.

– Proszę tego dopilnować – spojrzała na niego i głos jej złagodniał. – Dobrze się pan czuje? Może wezwać pańskiego lekarza? Nie wygląda pan najlepiej.

Pan Nowak gwałtownie się wyprostował.

– Czuję się świetnie, dziękuję – odparł chłodnym tonem. – Zosiu, mogłabyś mi podać Czarusia, proszę?

Zosia z pewnym ociąganiem oddała szczeniaka. Pani Lucyna miała rację – mężczyzna nie wyglądał najlepiej i dziewczynka martwiła się, że Czaruś może być zbyt ciężki, by nosił go na rękach. Nie odważyła się jednak o tym powiedzieć.

– Do widzenia, panu. Do widzenia, Czarusiu – wyszeptała.

Pani Lucyna ruszyła z powrotem, a Zosia poszła za nią, oglądając się na pana Nowaka, który właśnie przymykał okno. Czaruś stał przy nim z łapkami wspartymi o parapet – Zosia domyśliła się, że stoi na krześle – i ze smutkiem spoglądał, za nią.

– Do zobaczenia niedługo, Czarusiu – szepnęła.

Może następnym razem spyta, czy będzie mogła wyprowadzić go na spacer.

Tego wieczoru Zosia siedziała skulona na łóżku, wyglądając przez swoje okno. Jej pokój znajdował się w tylnej części domu i widziała duże drzewo w ogrodzie pana Nowaka, a za nim – jego dom. Czaruś był w środku. A przynajmniej Zosia miała taką nadzieję. Wcześniej leżała w łóżku i rozmyślała o tym, że jutro pójdzie do pana Nowaka i spyta o spacery z Czarusiem, ale potem przyszła jej do głowy straszna myśl.

„A jeśli tan mały psiak znowu uciekł?"– pomyślała. Miała okropne przeczucie, że jeśli Czaruś umiał wykopać jeden dół pod płotem, to nie minie wiele czasu i wykopie drugi. I tym razem wpadnie w prawdziwe tarapaty.

„Powinnam mieć dosyć odwagi, żeby spytać pana Nowaka o spacery, – pomyślała żałośnie, a po policzku popłynęła jej łza. – Jeśli nikt nie będzie zabierał Czarusia na spacery, będzie próbował się sam wydostać. Ta zrzędliwa pani powiedziała, że pójdzie do dzielnicowego, jeśli pies znów zacznie ganiać jej kota".

– Zosiu! Dlaczego jeszcze nie śpisz? Jest bardzo późno – mama zajrzała przez drzwi. – Oj, córeczko, co się stało? – weszła do środka i usiadła na skraju łóżka. – Ty płaczesz!

– Mamo, co się dzieje z psem, kiedy ktoś pójdzie poskarżyć się na niego do dzielnicowego? – spytała dziewczynka zatroskanym głosem.

Mama objęła ją ramieniem.

– Nie... nie wiem. Chodzi o Czarka? – zapytała, a Zosia opowiedziała mamie, co się wydarzyło.

– Pani Lucyna powiedziała, że zawiadomi dzielnicowego. Odbiorą Czarusia panu Nowakowi, mamo, wiem, że tak będzie. Zamkną go w schronisku dla zwierząt.

Kobieta westchnęła.

– Wiem, że trudno się z tym pogodzić, ale może nie byłoby to takie złe...

– Mamo! – Zosia wydawała się wstrząśnięta.

– Sama mówiłaś, że pan Nowak nie może wystarczająco często chodzić z nim na spacery. A szczeniak będzie coraz większy i silniejszy. To nie jest pies dla starszego człowieka. Jest taki uroczy, że na pewno adoptuje go jakaś miła rodzina.

– Ale pies kocha pana Nowaka! – powiedziała nerwowo dziewczynka.
– Widać, jak na niego patrzy. A on jest taki samotny, cała jego rodzina jest daleko. Pan Nowak go potrzebuje, mamo – nie dodała, że jeśli Czaruś znajdzie nowy dom, to ona już nigdy go nie zobaczy, a to strasznie ją przygnębiało. Nic nie mogła poradzić, że tak właśnie myślała.

Mama ze smutkiem pokiwała głową.

– Wiem. Przykro mi, Zosiu. Nie sądzę, żeby istniało właściwe rozwiązanie tego problemu – wstała i wygładziła dziewczynce pościel. – Spróbuj zasnąć, dobrze?

Dziewczynka pokiwała głową. Ale po wyjściu mamy znowu zaczęła wyglądać przez okno i myśleć o nieszczęsnym Czarusiu, który był tak blisko, oddzielony od niej tylko ogródkiem.

– Bądź grzeczny, Czarusiu – szepnęła i w końcu położyła się do łóżka.

Rozdział czwarty

Czaruś właśnie skończył śniadanie i bawił się jednym z nowych gryzaków, które kupił mu pan Nowak, gdy usłyszał okropny huk. Pognał do korytarza, skąd najwyraźniej dobiegł dźwięk.

Pan Nowak leżał bezwładnie u stóp schodów.

Czaruś zawył ze zdumienia i przerażenia. Jego właściciel się nie ruszał.

Wyglądało na to, że potknął się o swoją laskę, gdy schodził ze schodów. Czaruś wyczekiwał żałośnie, aż wstanie.

Nie wstał.

Po kilku minutach oczekiwania i pełnego niepokoju wpatrywania się w jego zamknięte oczy i bladą twarz, pies lekko trącił go noskiem. „Czyżby zasnął? – pomyślał".

Mężczyzna jęknął i Czaruś odskoczył zaskoczony. To nie był dobry dźwięk.

– Czaruś... – mruknął – dobry piesek. Za chwilę się podniosę. Och... – spróbował się ruszyć, ale po chwili z jękiem opadł z powrotem. – Nie mogę – przez chwilę milczał i szybko oddychał. – Czarusiu, idź po pomoc.

No idź... – jego głos umilkł, a oczy znowu się zamknęły. Pies patrzył na niego z niepokojem.

Ani drgnął, nawet gdy bardzo delikatnie polizał go po twarzy.

Zaskamlał. „Powiedział, bym sprowadził pomoc, ale nie jestem pewien, co miał na myśli – zdawał się pytać. – Zosia! Pójdę po Zosię". Był pewny, że dziewczynka będzie wiedziała, co robić.

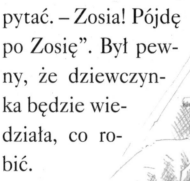

Powoli cofnął się od pana Nowaka i popatrzył na drzwi wejściowe. Były zamknięte. Podreptał korytarzem do kuchni. Tylne drzwi także były zamknięte. Trącił je z nadzieją. Wcześniej pan Nowak go wypuścił – może nie zamknął ich jak należy? Były jednak mocno zamknięte i nawet drapanie nic nie dawało.

Wrócił do korytarza. Pan Nowak nawet nie drgnął. Ludzie nie powinni leżeć tak nieruchomo. Musiał wyjść i znaleźć Zosię! Stanął przy drzwiach i zaszczekał najgłośniej, jak potrafił, w nadziei, że ktoś przyjdzie i je otworzy, nikt się jednak nie zjawił.

Przez minutę wbijał wzrok w drzwi, a potem poszedł do dużego pokoju. Popatrzył na okno. Wiedział, że nie powinien tego robić. Pan Nowak bardzo gniewnym tonem powiedział mu „nie" i uprzedził, że więcej ma tego nie robić.

Ale jak inaczej miał sobie poradzić? Nikt nie przychodził, gdy wołał. Wszystkie drzwi były pozamykane. To było jedyne wyjście, a pan Nowak potrzebował pomocy.

Wspiął się na fotel, a potem na oparcie, tak że jego przednie łapy znalazły się na parapecie. Potem wysunął nos przez okno. Było ledwie uchylone. Pan Nowak lubił świeże powietrze i zawsze otwierał okna, ale to było przymknięte, bo już wcześniej przez nie wyszedł. Gdy pchnął je nosem, otworzyło się jeszcze odrobinę.

Teraz mógł wysunąć na zewnątrz także uszy, chociaż było ciasno i bolało. Zadrżał, jakby otrząsał sierść z wody. Gramolił się, wiercił, aż w końcu wyturlał się przez okno i niezdarnie wylądował na kwiatach poniżej.

Perspektywa wycieczki nie cieszyła go tak bardzo, jak wczoraj. Teraz wolałby leżeć skulony przy fotelu pana Nowaka, który drapałby go za uszami, oglądając w telewizji jeden z tych smakowitych programów o jedzeniu.

Czaruś ruszył do swojego dołka pod płotem, ale gdy wśliznął się pod krzak, dziury tam nie było! Leżał, patrząc na ogrodzenie, i skamlał zdezorientowany. Od spodu przybito do płotu nowe deski i jego podkop został zupełnie zagrodzony. Zadał sobie tyle trudu, by wyjść do ogrodu, a teraz nie mógł się wydostać!

Nagle uszy szczeniaka nastroszyły się. Usłyszał Zosię! Dziewczynka była w swoim ogródku po drugiej stronie ogrodzenia. Czaruś wygramolił się spod krzewu i zaszczekał głośno, biegnąc na drugi koniec ogrodu.

– Cześć, Czarusiu! – zawołała w odpowiedzi Zosia, parskając śmiechem, a szczeniak zaszczekał głośniej. Dziewczynka go nie rozumiała!

Myślała, że Czaruś szczeka na znak przyjaźni, jak to zwykle robił. Czarek będzie musiał wyjść z ogródka i pójść po nią. Jeszcze kilka razy głośno szczeknął, a potem pobiegł z powrotem, by popatrzeć na furtkę.

Już wcześniej próbował ją otwierać i nie dał rady, ale wtedy był mniejszy. Spróbował jeszcze raz. Zaczął ją drapać, lecz na niewiele to się zdało. Furtka trochę się zatrzęsła, ale nic poza tym. Szczeniak zrobił kilka kroków w tył i podniósł wzrok. Był pewny, że ta srebrna część, stercząca na górze, służy do otwierania. Brzęczała i grzechotała, gdy ludzie wchodzili. Gdyby zdołała ją odciągnąć, furtka się otworzy. Sądził, że jest już wystarczająco wysoki, żeby jej dosięgnąć, jeśli się mocno wyciągnie.

Na szczęście dla niego rygiel był stary i obluzowany i kiedy pociągnął go silnymi, młodymi zębami, z łatwością się przesunął. Furtka się otworzyła i Czaruś usiadł przed nią, ze zdumieniem wyglądając na ulicę. Udało mu się!

Teraz musiał już tylko znaleźć Zosię.

Wybiegł truchtem na ulicę. Potem obejrzał się na dom, ostatni raz, z nadzieją, że drzwi wejściowe się otworzą i wyjdzie pan Nowak, mówiący, że już się dobrze czuje. Nie miałby nawet nic przeciwko temu, gdyby go zbeształ za otwarcie furtki.

Drzwi jednak wciąż pozostawały zamknięte. Szczeniak spoglądał to w jedną, to w drugą stronę. Musiał znaleźć dom Zosi. Może nawet zdoła wyczuć jej zapach.

– Niedobry pies! – ktoś krzyknął i Czaruś puścił się biegiem. Znał ten głos, należał do gniewnej pani od kota. Kobieta próbowała przywołać go z powrotem, ale Czaruś nie zamierzał teraz pozwolić, żeby ktoś go zatrzymał.

Pognał za róg, nerwowo oglądając się za siebie. Nikt go nie gonił, dobrze. Popatrzył na domy po obu stronach drogi i ogon mu opadł. Skąd miał wiedzieć, który dom należy do Zosi? Był pewny, że musi być gdzieś tutaj, czuł, że pobiegł we właściwym kierunku. Ale określenie, który dom sąsiaduje z jego domem przez tylny ogród, przekraczało jego możliwości.

Może powinien zawołać Zosię? Zaszczekał z nadzieją, a po chwili głośniej i jeszcze głośniej. Nic się nie wydarzyło.

Usiadł na środku chodnika i zawył. Nigdy nie znajdzie Zosi.

– Czaruś!

Dziewczynka biegła do niego chodnikiem, za nią biegli Tomek i Michał.

– Mówiłam, że słyszę jego szczekanie. Coś się stało, wiem, że tak jest. O nie, mam nadzieję, że nie gonił kota.

Czaruś przyskoczył do nich, z wdzięcznością machając ogonem. Już niemal się poddał.

– Lepiej zabierzmy go z powrotem – powiedział Tomek. – Złap go za obrożę, Zosiu, nie chcemy, żeby wybiegł na jezdnię.

Lecz kiedy Zosia próbowała pochwycić szczeniaka, ten się cofnął.

– Co się stało, Czarku? – spytała Zosia, zupełnie zdezorientowana.

– Wydaje się być zdenerwowany – zauważył Michał. – Już nie merda ogonem. Chyba nie jest ranny, prawda?

Zosia przykucnęła i próbowała przywołać szczenię.

– Chodź, Czarusiu, chodź. Dobry piesek – ale szczeniak skamlał i niespokojnie spoglądał w dół ulicy.

Zosia zmarszczyła brwi.

– Chyba chce, żebyśmy poszli za nim. Chodźcie! Prowadź, dobry piesek – chwyciła za ręce Tomka i Michała, po czym pociągnęła ich za sobą.

Czaruś biegł przed nimi, odwracając się co kilka kroków, by sprawdzić, czy idą za nim.

– Mam nadzieję, że nic się nie stało panu Nowakowi – mruknął Michał.

– Co masz na myśli? – spytała niespokojnym głosem dziewczynka.

– Nie rozumiem, czemu tak mu zależy, żebyśmy szli za nim – wyjaśnił z ociąganiem.

– Chodźmy szybciej – ponagliła

Zosia, przyspieszając kroku. – Wyglądał nie najlepiej, kiedy wczoraj odprowadziłam Czarusia.

Dotarli do domu zdyszani, i szczeniak otworzył furtkę. Potem podbiegł do drzwi i zaczął chodzić w tę i z powrotem między drzwiami a oknem, skamląc. – „Szybciej! Szybciej!" – próbował im powiedzieć. – „Wpuśćcie mnie do środka! Musicie mu pomóc!".

Zosia zadzwoniła do drzwi, lecz tak naprawdę nie spodziewała się, że ktoś otworzy.

Czaruś szczekał z coraz większą desperacją i Tomek wyciągnął swój telefon komórkowy.

– Myślicie, że powinniśmy zadzwonić na policję? – spytał. – Albo zawiadomić sąsiadów?

– Ćśśś! – syknęła nagle Zosia – słuchajcie. Coś słyszę.

Z wnętrza dobiegał słaby głos. Nawet Czaruś przestał szczekać. Też zaczął nasłuchiwać i wyraźnie usłyszał głos pana Nowaka.

– Pomocy! Czarusiu, jesteś tam? Zosiu, to ty?

– Wzywa pomocy! – wykrzyknęła Zosia. Złapała klamkę, lecz palce jej się ślizgały. Była pewna, że drzwi nie były zamknięte, gdy poprzednim razem przyprowadziła Czarusia.

– Nie na policję, tylko na pogotowie – mruknął Tomek, gdy Zosia otworzyła drzwi i zobaczyli pana Nowaka leżącego przed schodami. – Nie ruszaj go! – zawołał do siostry, która uklękła przy staruszku, nie zdejmując ręki z obroży Czarusia.

– Nie będę – zapewniła. – Panie Nowak, Czaruś nas znalazł. Wysłał go pan po nas? Jest taki mądry, pokazał nam, żebyśmy poszli za nim.

Mężczyzna popatrzył na niego i lekko się uśmiechnął.

– Wiedziałem, że sprowadzi pomoc – szepnął – dobry piesek.

A Czaruś bardzo delikatnie polizał go po policzku.

Rozdział piąty

Gdy nadjechała karetka, pan Nowak wyglądał nieco lepiej. Jego policzki znów nabrały delikatnych rumieńców. Czaruś siedział przy nim, pilnując go i, raz na jakiś czas, lizał jego dłoń.

Załoga karetki była zachwycona faktem, że szczeniak sprowadził Zosię, Tomka i Michała. Sanitariusze głaskali go i mówili, że jest bardzo mądry.

Pan Nowak się uśmiechnął, lecz po chwili twarz mu posmutniała.

– Czaruś! Co się z nim stanie? Nie ma go kto wziąć!

– Możemy załatwić, żeby na jakiś czas poszedł do schroniska – powiedział łagodnie jeden z sanitariuszy.

– Nie, nie, to by mu się nie spodobało... – mężczyzna z niepokojem patrzył na szczeniaka.

Czaruś zaskamlał, nie wiedząc, co się dzieje.

– Niech pan uważa – ostrzegł sanitariusz, próbując uspokoić staruszka – proszę się nie denerwować.

– Tomku, możesz zadzwonić do rodziców? – spytała błagalnym tonem Zosia. – Moglibyśmy wziąć Czarusia. Na pewno się zgodzą, jeśli im wyjaśnimy, co się stało.

Pan Nowak z wdzięcznością pokiwał głową.

– Byłoby wspaniale.

Tomek wyjął z kieszeni telefon. Zosia przysłuchiwała się nerwowo, gdy tłumaczył wszystko mamie.

– Powiedziała, żebyśmy go przyprowadzili – oznajmił w końcu z uśmiechem. – Nie była przekonana, ale się zgodziła.

– Idź z Zosią, Czarusiu – szepnął pan Nowak, gdy załoga karetki niosła nosze – dobry piesek.

Karetka pognała naprzód, mrugając niebieskimi światłami, a Czaruś skamlał, patrząc za samochodem, aż ten zniknął za rogiem ulicy. Potem ufnie podniósł wzrok na Zosię. Pan Nowak powiedział, żeby z nią poszedł, a zatem pójdzie.

W tej samej chwili nadbiegła pani Lucyna, sąsiadka pana Nowaka. Zobaczyła karetkę i się zaniepokoiła.

– Wielkie nieba, czy to pan Nowak? – spytała dzieci, a gdy pokiwały głowami, upuściła torbę z zakupami i pobladła na twarzy. – Wiedziałam, że trzeba go było namówić na wizytę u lekarza – mruknęła – ale był taki uparty. Ojej! Pies! Co z nim zrobimy?

– Zabierzemy go do domu – oświadczyła dobitnie Zosia.

Pani Lucyna popatrzyła na nią z zaskoczeniem, ale i z ulgą.

– Ja nie mogłabym go wziąć. On gania Feliksa – powiedziała z naciskiem.

Tomek i Michał wynieśli z domu pana Nowaka rzeczy Czarusia, a Zosia przypięła mu smycz. Pan Nowak powiedział, żeby wzięli wszystko, co będzie im potrzebne, i dał im swój klucz, żeby później zamknęli drzwi.

– Nie wypuszczajcie go – poradziła pani Lucyna, która wszystko obserwowała.

Zosia, Tomek i Michał uśmiechnęli się uprzejmie i nic nie powiedzieli, lecz gdy tylko znaleźli się za rogiem, wymienili porozumiewawczo spojrzenia. Chłopcy objuczeni byli koszami i miskami, Zosia zaś trzymała smycz i worek karmy.

– Ta pani naprawdę nie lubi Czarusia, prawda? – mruknął Tomek. – Cieszę się, że Czaruś nie został u niej. Trafiłby do schroniska, zanim by zdążył zaszczekać.

– Czaruś uciekał i był niegrzeczny tylko dlatego, że nie chodził na spacery, a to nie była wina pana Nowaka – stwierdziła Zosia.

Mama Zosi stała przy furtce i ich wypatrywała.

– Masz ci los – mruknęła na widok obładowanych chłopców – ile tych rzeczy!

Czaruś popatrzył na jej zmartwioną twarz i pisnął. Wszyscy byli zdenerwowani, a pan Nowak odjechał i go zostawił. Podniósł łebek ku niebu i zawył.

– Lepiej chodźcie do środka – westchnęła mama.

Zosia wprowadziła Czarusia do domu, a chłopcy za-

nieśli wszystkie rzeczy do kuchni i położyli je obok taty, który był dość zaskoczony widokiem psa, z zazdrością patrzącego na jego kanapkę.

Pokręcił głową i lekko się uśmiechnął.

– Zdaje się, że spełniło się marzenie waszej trójki, nawet jeśli tylko na tydzień czy dwa. Bo nie na dłużej – dodał z naciskiem. – Pies wróci do pana Nowaka, więc za bardzo się do niego nie przywiązujcie, dobrze?

Łatwo było obiecać, że zbytnio nie przywiążą się do Czarusia, ale Zosia już go uwielbiała i nie wyobrażała sobie bez niego życia. Codzienna opieka

nad psem nie była nudna ani praco-
chłonna, przed czym ostrzegał tata.
Tomek wypożyczył książkę o tresurze
psów. Zosia i chłopcy zaczęli uczyć go
chodzenia przy nodze, siadania i zo-
stawania. Zawsze uważali Czarusia za
dość nieposłusznego psa, bo za każdym razem, gdy go widywali, uciekał
ze smyczy albo kogoś przewracał. Gdy
zaczęli wyprowadzać go na spacery,
Zosia bardzo uważnie trzymała smycz,
przekonana, że szczeniak raz po raz
będzie próbował się wyrwać. Ale chociaż rzeczywiście trochę ciągnął
smycz, wcale nie uciekał. I miał świet-
ne wyniki w treningu posłuszeństwa.

– Labradory są bardzo mądre
– stwierdził tata. Wcześniej z podziwem obserwował pokaz nowych

umiejętności Czarusia. Pies siedział nawet całą minutę z psim ciasteczkiem między łapami, dopóki Zosia nie powiedziała, że może je już zjeść.

Czaruś też był szczęśliwy. Pierwszego dnia czuł się mocno zdezorientowany w nowym domu, nowym ogrodzie i wśród nowych ludzi, nawet jeśli był tam jego koszyk i miski. Przede wszystkim zaś okropnie tęsknił za panem Nowakiem. Wszystkie miejsca pachniały inaczej, dziwnie, i Czaruś chodził za Zosią, jakby się do niej przykleił.

W sobotni wieczór mama popatrzyła na jego mały, smutny pyszczek i okrągłe czarne oczy, po czym westchnęła.

– Chyba będzie musiał spać w twoim pokoju, Zosiu. Ale nie na łóżku! – dodała, gdy dziewczynka podbiegła, by ją uściskać.

Chociaż Czaruś wciąż myślał o panu Nowaku, było mu dobrze z rodziną, która miała tyle energii co on. Spacery sprawiały, że wszystko wyglądało zupełnie inaczej. Poranne przebieżki z Zosią przed śniadaniem, czasami wycieczka do sklepów w ciągu dnia, a później właściwy, długi spacer. Na łąkę albo wzdłuż brzegu strumyka. W sobotę, tydzień po tym, jak szczeniak z nimi zamieszkał, cała rodzina pojechała samochodem do dużego lasu kilka kilometrów za miastem i Czaruś przeżył rozkoszne chwile, goniąc króliki, zrodzone w jego wyobraźni.

Tego wieczoru, po powrocie do domu, Zosia wysłała e-mail do Renaty. Musiała pisać dość powoli, bo Czaruś siedział jej na kolanach i z ciekawością patrzył na komputer.

Do: Reanta
From: Zosia
Temat: Nasz nowy pies

📎 Załącznik:
Czaruś.jpg

Cześć, Renato!

Nigdy byś nie zgadła – mamy psa! To szczeniak labrador, nazywa się Czaruś i jest uroczy. Szkoda, że nie możesz go zobaczyć, ale dziś w lesie zrobiłam zdjęcie, które Ci przesyłam. Opiekujemy się nim tylko czasowo, bo jego właściciel jest w szpitalu, ale mam wrażenie, jakby naprawdę był nasz.

Zosia przestała stukać w klawisze i pogłaskała miękkie uszka Czarusia. To była prawda. Naprawdę czuła się tak, jakby miała psa.

– Jesteś najmilszym psiakiem, jakiego spotkałam, wiesz? – szepnęła do szczeniaka, a ten odwrócił się i polizał ją po nosie. Zosia zachichotała. Powiedziała: – Błeee – ale tak naprawdę nigdy nie była szczęśliwsza.

Rozdział szósty

Zosia namówiła mamę, by codziennie dzwoniła do szpitala, by spytać, jak się miewa pan Nowak, i przekazać najnowsze informacje o Czarusiu. Noga pana Nowaka musiała być operowana, ale mężczyzna szybko wracał do zdrowia i pielęgniarki powiedziały mu, że może przyjmować gości. Zaproponowały nawet, by Zosia, Michał i Tomek przyszli do szpitala, opowiedziały, że pacjent ciągle o nich mówi i chwali dzieci za przytomność umysłu. Syn pana Nowaka zadzwonił do Ziębów i powiedział, że jest im bardzo wdzięczny za opiekę nad Czarkiem. Poprosił też ich o odwiedziny w szpitalu, bo sam nie mógł na zbyt długo zostawić rodziny w Szkocji i martwił się, że jego tata jest sam.

A zatem w poniedziałek, nieco ponad tydzień od wypadku, Zosia, Tomek i ich mama zapukali do drzwi jego sali. Na szczęście było to na parterze, bo Michał czekał na zewnątrz z Czarusiem.

Mężczyzna siedział na łóżku. Czytał gazetę, najwyraźniej był znudzony, bo rzucił ją z radością, gdy tylko ich zobaczył.

– Przyszliście mnie odwiedzić! – wykrzyknął. – Czy u Czarusia wszystko w porządku? – spytał, a Zosia i Tomek uśmiechnęli się do siebie. Mama zajrzała do pokoju pielęgniarek, które powiedziały, że nie ma problemu i można przysunąć jego łóżko bliżej okna.

– Mamy niespodziankę! – oznajmiła dziewczynka, pomagając przepchnąć łóżko. – Niech pan spojrzy!

Tuż pod oknem stał Michał. Tyle że tak naprawdę go nie widzieli, bo trzymał Czarusia przed twarzą. Pies zaczął się wiercić i szczekać z zapałem, gdy tylko zobaczył swojego właściciela, a potem próbował polizać szybę.

– Oj, żałuję, że nie możemy go wprowadzić – powiedziała ze smutkiem Zosia – tak się cieszy ze spotkania z panem.

– Tak dobrze się nim opiekujecie – powiedział z uśmiechem pan Nowak.

– Nie mogę się doczekać, kiedy stąd wyjdę, a on wróci do mnie do domu.

Zosia pokiwała głową i uśmiechnęła się, choć tak naprawdę po tych słowach coś ją zabolało w środku. Jak miała znowu pogodzić się z sytuacją, w której będzie widywała Czarusia, tylko przechodząc obok ogrodu pana Nowaka? Nie zniesie tego po tym, jak miała szczeniaka niemal tylko dla siebie.

Cały czas wiedziała, że Czaruś będzie musiał wrócić do domu. Ale szczenię stało się już niemal częścią rodziny. Tak ciężko będzie go oddać. Widziała, jak bardzo mężczyzna cieszy się na widok szczeniaka. Po wyprowadzce rodziny, stał się je-

go jedynym towarzyszem. Ale Zosia też miała poczucie, że potrzebuje Czarusia. A Czaruś potrzebował właścicieli, którzy mogliby zapewnić mu tyle ruchu, ile potrzebował energiczny młody psiak. Sytuacja była bardzo trudna.

Zosia przez całą drogę do domu była bardzo milcząca, a potem wzięła Czarusia do swojego pokoju (miała nie wpuszczać go na łóżko, ale mama udawała, że nie zauważa sierści). Dziewczynka pogłaskała aksamitne uszy szczenięcia i westchnęła.

Czaruś popatrzyła na Zosię, przechylając łebek w bok, z błyskiem w ciemnych oczach. Szczeknął cicho z nadzieją i pchnął w jej stronę swoją gumową kość. Czasami bawili się w bardzo fajną grę, w której Zosia udawała, że odciąga kość, a szczeniak udawał, że gniewnie warczy. Ale może dziewczynka nie chciała się dziś w to bawić.

Zosia podrapała go pod brodą, a Czaruś zamknął oczy i pisnął z zadowolenia. Dziewczynka dokładnie wiedziała, gdzie drapać.

Pociągnęła nosem, powstrzymując łzy.

– Nie mogę cię oddać – szepnęła – po prostu nie mogę – wiedziała jednak, że wkrótce musi to nastąpić.

– Naprawdę myślisz, że możemy? – spytała zaskoczona Zosia.

Tomek skinął głową.

– Chyba tak. Jest teraz taki grzeczny. Już prawie miesiąc uczymy go chodzić przy nodze i zostawać. Tak czy owak, na łące nie ma dziś wielu osób, więc miejmy nadzieję, że nie wpadnie na pomysł, aby się wyrwać i pobiec za jakimś innym psem.

– I trochę już go wymęczyliśmy – zauważył Michał.

– No to dobrze – Zosia przyklękła przy Czarusiu, który siedział z wywieszonym językiem i radośnie dyszał. To był długi, wyczerpujący spacer do najwyższego wzniesienia na łące. Serce dziewczynki zabiło nieco mocniej, gdy odpięła smycz. Jak szczeniak zareaguje?

Czaruś rozejrzał się ze zdziwieniem. Potem szczeknął z zadowoleniem, ale nie puścił się biegiem, czego obawiała się Zosia. Podniósł wzrok na dziewczynkę, jakby chciał sprawdzić, czy ta naprawdę chce go spuścić ze smyczy. Potem odbiegł kilka metrów, znalazł duży patyk i pociągnął go za sobą. Upuścił go u stóp Tomka i zaszczekał do niego błagalnie.

– Chce aportować! – wykrzyknęła

Zosia. – Nawet go tego nie uczyliśmy. Mówiłam, że jest mądry!

– Nie mogłeś znaleźć mniejszego? – próbował narzekać Tomek, ale rzucił patyk najdalej, jak umiał, a Czaruś pognał za nim, szczekając z zadowoleniem.

Bardzo długo bawili się w aportowanie, a potem poszli do domu zmęczeni, ale szczęśliwi.

Mama była w kuchni. Parzyła kawę i wydawała się bardzo smutna.

– Co się stało? – spytała Zosia, lecz miała straszne przeczucie, że już wie.

Kobieta uśmiechnęła się.

– O, to naprawdę dobre wieści. Pan Nowak wrócił wczoraj ze szpitala. Czuje się znacznie lepiej i pyta, czy możemy przyprowadzić mu Czarusia

do domu – machnęła ręką w kierunku blatu, gdzie piętrzyły się miski
i zabawki, które Zosia i chłopcy kupi-
li dla szczeniaka. – Wszystko przygo-
towałam. Musimy tylko włożyć to
do jego koszyka.

Zosia opadła na krzesło, a Tomek i Michał oparli się o blat, wszyscy wpatrywali się w ten smętny stos.

– Nie wierzę, że odchodzi – mruknął Michał.

– Właśnie nauczyliśmy go przychodzić na zawołanie. Dzisiaj nawet spuściliśmy go ze smyczy – powiedział Tomek smutnym głosem.

– Wiem, że to trudne, ale zawsze wiedzieliśmy, że tak naprawdę nie jest naszym psem... – zaczęła mama. A potem westchnęła. – Nie, nie mogę udawać. Też będę za nim okropnie tęsknić.

Tata wszedł z ogródka do środka.

– Czyli już im powiedziałaś? – mruknął, widząc żałosne miny obecnych.

– Naprawdę mi przykro, ale powiedziałem panu Nowakowi, że przyjdziemy po południu.

Oczy Zosi wypełniły się łzami, gdy patrzyła, jak tata podnosi koszyk Czarusia i zaczyna pakować psie miski.

Mężczyzna odstawił koszyk i podszedł, by przytulić córkę.

– Wiedziałaś, że to nie na zawsze, Zosiu. I nadal będziesz mogła się z nim spotykać. Dam głowę, że pan Nowak będzie się cieszył z twoich odwiedzin.

Przełknęła ślinę i pokiwała głową, a Czaruś szturchnął ją czule i polizał jej dłoń. Chciał, żeby Zosia się rozchmurzyła i poszła z nim do ogródka, aby mogli pobawić się w aportowanie, tym razem piłki. Ale Zosia sięgnęła w dół, by z powrotem przypiąć mu smycz. Szczeniak posłał jej zdziwione spojrzenie. „Następny spacer? No, wspaniale, ale właśnie teraz?". Czuł się dosyć zmęczony. Zamierzał się napić, zanim zrobi cokolwiek innego, ale jego miska z wodą najwyraźniej zniknęła.

– Chodź, Czarusiu! – powiedziała Zosia, starając się, by zabrzmiało to wesoło.

Czaruś zamerdał ogonem, gdy ruszyli ścieżką do domu pana Nowaka.

– Widzicie? Cieszy się, że wraca – powiedział tata z naciskiem.

Dziewczynka przełknęła ślinę. Przecież chciała, żeby Czaruś był szczęśliwy, prawda? Byłoby strasznie, gdyby na domiar złego psiak był smutny. Ale mimo wszystko... czy on w ogóle ich nie kochał? Czy nie będzie za nimi tęsknił?

Czaruś czekał, aż drzwi się otworzą, machając ogonem tak mocno, że smagał nim Zosię po nogach. Dom pana Nowaka! Jego dawny dom! Miał spotkać swojego starego właściciela.

Tym właśnie teraz dla niego był pan Nowak. Starym właścicielem. Należał do Zosi, Michała i Tomka. Ale i tak miło będzie go zobaczyć.

Gdy drzwi się otworzyły, próbował się rzucić na nogi pana Nowaka i go polizać, ale Zosia zawołała:

– Czaruś, siad! Delikatnie!

Szczeniak natychmiast usiadł. Musiał traktować go delikatnie. Spokojnie podreptał do korytarza i pozwolił, by Zosia odpięła mu smycz.

– Uczyniliście z nim cuda – stwierdził staruszek z podziwem. – Stał się znacznie spokojniejszy. Zupełnie inny pies. Nie wiem, jak wam dziękować.

– Był bardzo grzeczny – powiedziała Zosia, choć ściskało ją w gardle – i miło było go uczyć.

Mężczyzna zaproponował, że zrobi im wszystkim herbaty, ale tata podziękował, mówiąc, że nie chcą go fatygować tak krótko po powrocie ze szpitala. Tak naprawdę chciał, by Zosia i chłopcy wrócili do domu, zanim dziewczynka zaleje się łzami.

Czaruś patrzył ze zdumieniem, jak tata przynosi z korytarza jego koszyk i stawia w salonie u pana Nowaka. To był jego koszyk. Będzie go potrzebował. Dlaczego mieliby go zostawić tutaj? A potem wreszcie zrozumiał i zaskamlał, podnosząc wzrok na Zosię.

– Jesteś teraz w domu, piesku – powiedziała dziewczynka cichym, drżącym głosem. Powstrzymywała łzy. – Będziesz się opiekował swoim panem, prawda? – przykucnęła, by pogłaskać go po nosie, po czym szepnęła mu do ucha: – Nie zapominaj o nas, proszę!

A potem wyszli, a Czaruś patrzył za nimi przez okno. Teraz pamiętał, jego zadaniem jest opieka nad starym

właścicielem. Ale żałował, że nie może iść do domu z Zosią.

Rozdział siódmy

Bez Czarusia zdawało się, że w domu panuje jakaś pustka. Nikt nie skakał z nadzieją, podczas gdy Ziębowie szykowali się do wyjścia, błagając wielkimi oczami, by zabrali go z sobą. Nie szczekał radośnie, gdy wracali do domu. Nie siedział pod stołem w czasie posiłków, wpychając komuś nos w kolano, czekając na resztki albo okruchy. Nie kładł się wieczorem na łóżku Zosi, by dziewczynka mogła wepchnąć stopy pod jego ciepły ciężar. Odszedł.

Letnie dni ciągnęły się ponuro bez spacerów z psem. Wszyscy snuli się po domu, aż w końcu pewnego ranka, ledwie kilka dni po tym, jak oddali Czarusia, rodzice wzięli dzieci na rozmowę.

– Słuchajcie, wiem, że wszyscy tęsknimy za Czarusiem – powiedział łagodnie tata. – Mieliśmy go prawie miesiąc, wystarczająco długo, by poczuć, że jest prawie nasz. Ale spróbujcie pomyśleć o tym inaczej. Świetnie się spisaliście, kiedy musieliście się nim opiekować, ale teraz wrócił na swoje miejsce. Pan Nowak potrzebuje go bardziej niż my. Nie ma nikogo innego. Jesteśmy z was bardzo dumni, naprawdę. Zwłaszcza z ciężkiej pracy, którą włożyliście w jego wytresowanie – uśmiechnął się do mamy, a ona pokiwała głową. – Dlatego pomyśleliśmy, że możecie już mieć własnego psa – usiadł z powrotem i popatrzył na nich z na-

dzieją, ale nikt się nie odezwał. A potem Zosia wstała i wybiegła z pokoju.

– Chce tylko Czarusia – mruknął Michał.

Tata ze smutkiem pokiwał głową.

– Może jest jeszcze trochę za wcześnie. Ale mówię poważnie, chłopcy. Dobrze się spisaliście i zasługujecie na własnego psa, aby się nim zaopiekować.

W ten weekend tata zapakował ich do samochodu i nie chciał powiedzieć, dokąd jadą.

– Tajemnica – powiedział, uśmiechając się do mamy.

Jechali przez miasto i Zosia, Michał oraz Tomek próbowali zgadywać, dokąd się kierują, ale tata nie chciał im powiedzieć, czy mają rację.

Nagle Zosia krzyknęła.

– Schronisko! Jedziemy do schroniska dla psów, prawda? – głos jej drżał, gdy ze ściśniętym gardłem mówiła dalej. – Proszę, nie, tato. Nie chcę patrzeć na inne psy.

– Ej, daj spokój, Zosiu, chodźmy tylko zobaczyć – powiedział Tomek.

– Czy ona zgadła, tato? Jedziemy do schroniska?

– Tak – tata zatrzymał samochód przed wielką, niebieską tablicą z napisem: „Schronisko dla Zwierząt Bystry Potok". – Jesteśmy na miejscu. Chodźcie, wszyscy.

– Pamiętajcie, że na razie tylko oglądamy – uprzedziła chłopców mama, obejmując Zosię, która powstrzymywała łzy.

– Wiemy! – zapewnił Michał, ale obaj pognali już naprzód, pragnąc jak najszybciej zobaczyć psy, które mogły stać się ich.

– Mam nadzieję, że to nie był zły pomysł – mruknęła mama.

Schronisko było pełne i wydawało się, że wszystkie psy rozpaczliwie potrzebują nowych domów. Chociaż Zosia nie mogła znieść myśli o innym psie – miałaby bowiem wrażenie, że zapomniała o Czarusiu – czytała kartki na klatkach psów. A gdy już poznała ich imiona, a także ich historie, mimowolnie zrobiło jej się ich trochę żal.

– Oj, Zosiu, zobacz... – mama przykucnęła przy drucianej siatce od przodu klatki, wpatrzona w charta, którego długie nogi nie mieściły się w koszyku. – Śliczny, prawda? Nie żebyśmy mogli wziąć charta. Na pewno potrzebuje mnóstwo ruchu. Spójrzcie na jego nogi!

– Właściwie jest informacja, że starsze charty nie lubią zbyt dużo ruchu. Są dość leniwe.

Ten wabi się Fred i szuka spokojnego, pełnego miłości domu – Zosia popatrzyła na Freda, który beztrosko drzemał. – Wydaje się raczej odprężony – powiedziała ze śmiechem.

– O, jak miło widzieć cię uśmiechniętą – mama przytuliła ją. – Zosiu, nawet jeśli teraz nie chcesz psa, jestem pewna, że pewnego dnia zmienisz zdanie. Tak wspaniale radziłaś sobie z Czarusiem.

– To dlatego, że on był wspaniały – szepnęła dziewczynka, wbijając sobie paznokcie w dłonie, by znowu się nie rozpłakać. – Przepraszam, mamo – mocno pociągnęła nosem i odwróciła się, by popatrzeć na Freda – ale faktycznie jest bardzo ładny – dodała dzielnie.

Michał i Tomek chcieli po sześć różnych psów, ale w drodze powrotnej nawet oni musieli przyznać, że tym razem w schronisku nie było idealnego psa.

– Ale w schronisku powiedzieli, że ciągle trafiają do nich nowe zwierzęta, tato – zauważył Tomek. – Możemy niedługo tam wrócić.

Zosia oparła się o okno i zamknęła oczy. Nie miała pewności, czy zniesie jeszcze jedną taką wycieczkę. Wszystkie te cudowne psy, pragnące domu i kogoś, kto je pokocha. Ale ona nie mogła pokochać innego czworonoga. Jeszcze nie.

Tymczasem w domu pana Nowaka Czaruś też czuł się nieswojo. Próbował tego nie okazywać, ale ciężko było powrócić do krótkich spacerów. Pan Nowak czuł się po operacji o wiele, wiele lepiej, ale nadal potrzebował laski i nie mógł chodzić na dalekie spacery. Skończyło się cudowne bieganie po łące. Skończyły się polowania na nieistniejące króliki w lesie. Były tylko powolne, krótkie przechadzki po ulicach. Staruszek nie mógł nie zauważyć, że energiczne, rozemocjonowane szczenię zmieniło się w smutnego psa. Cieszył się, że Czaruś jest taki grzeczny, ma się rozumieć – Zosia i jej bracia naprawdę uczynili z nim cuda – ale niemal żałował, że od czasu do czasu szcze-

niak nie jest znowu radosnym głupta-
skiem.

Czaruś zachowywał się znakomi-
cie. Chodził przy nodze tak, jak po-
kazywali mu Tomek, Michał i Zosia.
Zastanawiał się, czy pan Nowak spu-
ści go ze smyczy i pozwoli mu aportować, pewnie jednak nawet nie wiedział, że szczeniak to potrafi. Nie
próbował wychodzić z ogrodu, chociaż mógłby, gdyby chciał. W końcu
wiedział, jak odsuwać rygiel. Czasami
na niego patrzył i zastanawiał się
nad odwiedzeniem Zosi. Ale nie wolno mu było tego robić. Jego miejsce
było już gdzie indziej.

Rozdział ósmy

Mama Zosi odłożyła telefon i powoli podeszła do stołu, gdzie wszyscy kończyli obiad.

– Kto dzwonił? – spytała Zosia.

– Pan Nowak. Zaprasza nas wszystkich po południu na herbatę – kobieta popatrzyła na córkę, która nagle spochmurniała, a także na Tomka i Michała, po czym dodała z naciskiem: – Oczywiście, powiedziałam mu, że chętnie przyjdziemy. Miło będzie się z nim spotkać.

Zosia wbiła spojrzenie w sałatkę owocową, wiedząc, że już więcej nie przełknie.

– Przepraszam, mogę odejść od stołu? – wyszeptała, wstając. Nie była pewna, czy ma dość odwagi, by iść zobaczyć Czarusia w jego prawdziwym domu. Zwłaszcza że bez ustanku wyobrażała go sobie z powrotem tutaj.

Mama westchnęła i pozwoliła jej iść. Z niepokojem popatrzyła na męża.

– Dla Zosi spotkanie z Czarusiem będzie szczególnie trudne. Psa nie było w ogródku, kiedy przechodziłyśmy i bardzo się z tego ucieszyłam. Ale to chyba musi nastąpić prędzej czy później.

W drodze do domu pana Nowaka Zosia człapała za pozostałymi najwolniej jak potrafiła. Rozpaczliwie pragnęła zobaczyć Czarusia, ma się rozumieć. I czuła się winna, że wcześniej nie poszła w odwiedziny do pana Nowaka.

Nie mogła się jednak do tego zmusić. Minęły całe dwa tygodnie, a ona tęskniła za szczenięciem tylko odrobinkę mniej niż na początku. Wiedziała, że jeśli go zobaczy, będzie jeszcze bardziej tęsknić.

Staruszek otworzył drzwi i stanął w nich Czaruś, zawzięcie merdając ogonem i patrząc na Zosię pełnymi miłości brązowymi oczami. Zosia musiała odwrócić wzrok. Potem jednak popatrzyła znowu i uśmiechnęła się. Nie chciała, żeby szczeniak też czuł się źle.

Pan Nowak zaprosił wszystkich, by usiedli, a sam robił herbatę i nalewał sok. Na koniec poprosił Tomka o przeniesienie tacy. Wyglądał znacznie lepiej, choć wciąż podpierał się laską. Czaruś cały czas pozostawał przy nim, kiedy więc usiadł, on też usiadł przy jego nodze, wciąż jednak wpatrywał się w Zosię.

Dziewczynka odpowiedziała smutnym spojrzeniem.

Czaruś przysunął się nieco bliżej do sofy, na której Zosia siedziała obok mamy. Chciał rozweselić dziewczynkę. Mógł przynajmniej spróbować. Centymetr po centymetrze pokonywał niewielką odległość, dzielącą go od sofy, aż w końcu czule położył nos na nodze Zosi.

Zosia pogłaskała go, a do oczu napłynęły jej łzy.

– Oj, bardzo za tobą tęskniłam – szepnęła. Potem zorientowała się, że pan Nowak zaczął coś mówić, upewniwszy się, że każdy ma coś do picia. Jego głos brzmiał bardzo poważnie.

– Muszę was poprosić o wielką przysługę – popatrzył na Czarusia, opierającego łeb na kolanach Zosi, i westchnął. – Przez cały pobyt w szpitalu nie mogłem się doczekać powrotu do domu, do normalności, do mojego psa. Chciałem, by wszystko było jak dawniej. Ale gdy już wróciłem, moje podejrzenia okazały się słuszne. Nie zapewniałem wcześniej Czarusiowi należytej opieki. Nie mogę za nim nadążyć! – uśmiechnął się smutno. – To będzie mocny cios... zawsze miałem psa, dużego psa... ale chcę go oddać. Nie potrafiłem go nawet odpowiednio wytresować!

Popatrzył na Tomka, Michała i Zosię, którzy wpatrywali się w niego szeroko otwartymi oczami.

– Wy troje zrobiliście to, na co ja nie miałem siły. Pod waszą opieką Czaruś zmienił się w dobrze wychowanego psa. Odkąd do mnie wrócił, w ogóle nie szarpie za smycz, nie rzuca się na mnie. To prawdziwy skarb. Ale to nie w porządku wobec niego, że musi mieszkać ze starcem. Musi mieć możliwość biegania po łące, parku... Dlatego podjąłem decyzję. Pójdzie do schroniska. Chyba że...

Zosia przełknęła ślinę. Pan Nowak uśmiechnął się do niej.

– Chyba że wy możecie się nim zająć. To znaczy, wziąć go do siebie. Tęsknił za wami. Za każdym razem, kiedy wychodzi do ogródka, staje przy tylnym płocie. Nasłuchuje dźwięków z waszego ogrodu.

Zosia podniosła na mamę błagalne spojrzenie i zobaczyła, że kobieta się śmieje.

– Powiedzieliśmy dzieciom, że mogą mieć psa, bo tak dobrze opiekowały się Czarusiem. Poszliśmy nawet do schroniska, żeby jakiegoś poszukać. Ale żadne z nas nie znalazło psa, bo tak bardzo tęskniliśmy za Czarusiem. Oczywiście, że go weźmiemy!

Zosia zsunęła się z sofy i objęła szczeniaka za szyję.

– Idziesz z nami do domu! Teraz naprawdę jesteś nasz! – a potem popatrzyła na pana Nowaka i zmarszczyła brwi. – Ale co pan bez niego zrobi? Nie będzie pan tęsknił?

Staruszek pokiwał głową.

– Oczywiście, że będę. Ale to nie w porządku. Nie powinien cierpieć tylko po to, by mnie uszczęśliwić.

– Mogę z nim pana odwiedzać...
– zaproponowała dziewczynka i pan
Nowak uśmiechnął się z wdzięcznością.

Skończyli herbatę, a staruszek po-
zbierał dla nich rzeczy Czarka. Próbował zachowywać się pogodnie, ale

Zosia widziała, że naprawdę mu smutno. Bez Czarusia będzie taki samotny.

Patrzyła, jak mężczyzna czule głaszcze psa na pożegnanie, i nagle coś przyszło jej do głowy.

– O! Mam świetny pomysł! W schronisku widzieliśmy charta, ślicznego, o imieniu Fred. Na klatce była informacja, że jest dość stary i potrzebuje spokojnego, pełnego miłości domu! To pies odpowiedni dla pana!

Pan Nowak popatrzył na nią i z namysłem zmarszczył brwi, opierając się o framugę.

– Chart... Nigdy dotąd nie miałem charta. Nie myślałem o pójściu do schroniska, ale przecież tam rzeczywiście szukają domów często i dla starszych psów, prawda? – uśmiechnął się. – Myślisz, że ty i Czaruś zechcecie czasem wziąć na wspólny spacer starego człowieka i starego psa?

Czaruś podniósł wzrok na rozpromienioną twarz Zosi i uśmiech pana Nowaka. Chociaż stał nieruchomo, jej ogon merdał radośnie. Widział, że ludzie są szczęśliwi. I on też był szczęśliwy. Wracał do domu.

Zaopiekuj się mną

 Kora jest samotna

 Mały Rubi w tarapatach

 Zagubiona w śniegu

 Mgiełka, porzucona kotka

 Figa tęskni za domem

 Wróć, Alfiku!

 Kto pokocha Psotkę?

 Czaruś, mały uciekinier

 Gdzie jest Rudek?

 W poszukiwaniu domu

 Na ratunek Rufiemu!

 Gwiazdko, gdzie jesteś?

 Biedna, mała Luna

 Smyk, uprowadzony szczeniak

 Samotne święta Oskara

 Wąsik, niechciany kotek

 Ktoś ukradł Prążka!

www.zaopiekujsiemna.pl

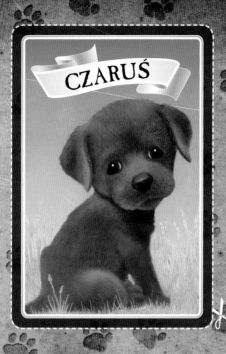

Wytnij i zachowaj!

Wytnij i odeślij!

Zbieraj karty i wymieniaj na nagrody! Szczegóły na www.zaopiekujsiemna.com.pl

www.zaopiekujsiemna.com.pl

Wypełnij poniższy kupon i odeślij na adres: Wydawnictwo
Zielona Sowa Sp. z o.o., Al. Jerozolimskie 96, 00-807 Warszawa.

IMIĘ:

NAZWISKO:

ADRES E-MAIL:

ADRES KORESPONDENCYJNY:

Wyrażam zgodę na przetwarzanie danych osobowych mojego dziecka w celach marketingowych
oraz w celach związanych z przeprowadzeniem konkursów organizowanych na łamach książek
i w serwisie www.zaopiekujsiemna.com.pl
przez Wydawnictwo Zielona Sowa Sp. z o.o. z siedzibą w Warszawie, Al. Jerozolimskie 96,
w szczególności na otrzymywanie informacji handlowych pochodzących
od Wydawnictwa Zielona Sowa oraz innych osób.

PODPIS RODZICA/OPIEKUNA